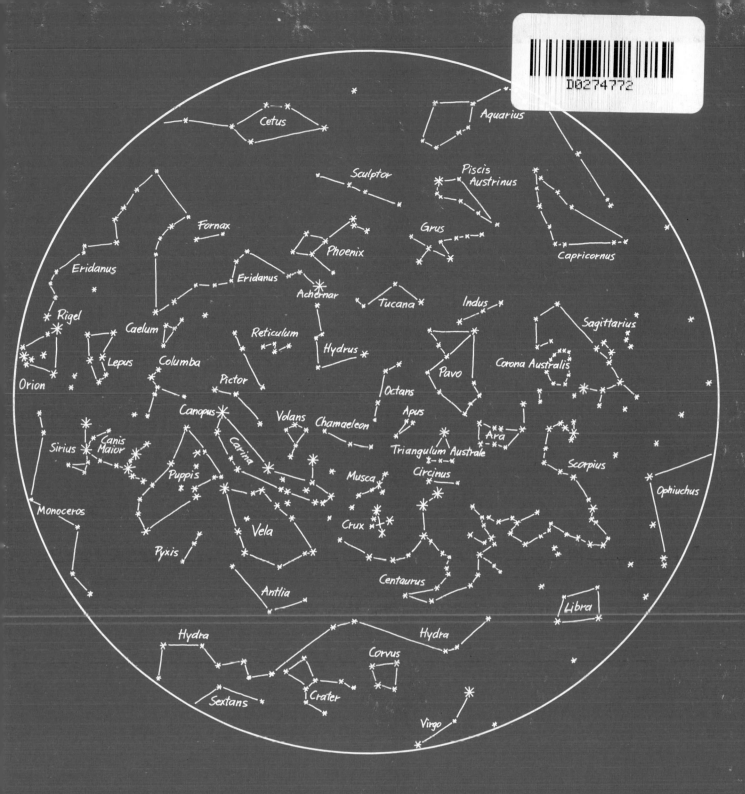

Hémisphère austral

Equuleus **Petit Cheval** / *Eridanus* **Eridan** / *Fornax* **Fourneau** / *Gemini* **Gémeaux** / *Grus* **Grue** / *Hydra* **Hydre femelle** / *Hydrus* **Hydre mâle** / *Indus* **Indien** / *Lacerta* **Lézard** / *Leo* **Lion** / *Leo minor* **Petit Lion** / *Lepus* **Lièvre** / *Libra* **Balance** / *Lynx* **Lynx** / *Lyra* **Lyre** / *Monoceros* **Licorne** / *Musca* **Mouche** / *Octans* **Octant** / *Ophiuchus* **Ophiuchus** / *Pavo* **Paon** / *Pictor* **Chevalet du Peintre** / *Pisces* **Poissons** / *Piscis Austrinus* **Poisson austral** / *Pyxis* **Boussole** / *Recticulum* **Réticule** / *Sagitta* **Flèche** / *Sagittarius* **Sagittaire** / *Scorpius* **Scorpion** / *Sculptor* **Atelier du Sculpteur** / *Serpens* **Serpent** / *Sextans* **Sextant** / *Taurus* **Taureau** / *Triangulum* **Triangle** / *Triangulum Australe* **Triangle austral** / *Tucana* **Toucan** / *Ursa Maior* **Grande Ourse** / *Ursa Minor* **Petite Ourse** / *Vela* **Voiles** / *Virgo* **Vierge** / *Volans* **Poisson volant**

Pour Caspar et Judith

*Cet ouvrage n'a pas été écrit par un spécialiste des livres destinés aux enfants;
les illustrations ne sont pas le fruit du génie
d'un artiste professionnel: le texte et les dessins, en effet,
sont l'œuvre d'un astronome
— celui qui figure sur la photographie ci-dessous —
c'est-à-dire un savant qui étudie les étoiles et l'univers.
Sur la page suivante,
l'auteur s'est représenté tel qu'il se voyait quand il était jeune
et qu'il rêvait en regardant le ciel.*

PEPPO GAVAZZI

à la
découverte
de
l'astronomie

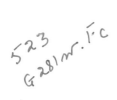

Édition originale allemande: *Wie weit ist der Himmel? Ein Sternforscher erzählt.* © 1984 by Otto Maier Verlag, Ravensburg. ISBN 3-473-35549-6.
Traduit par Paul Henry CARLIER. Édition française © Casterman 1984. ISBN 2-203-14904-3.

Premières observations du ciel nocturne

Certaines nuits, le ciel paraît tout entier semé d'innombrables étoiles. Quelques-unes, plus grandes que les autres, attirent immédiatement le regard. La plupart, cependant,

sont si petites et brillent si faiblement qu'il faut les chercher attentivement avant de les découvrir.
Lorsque la Lune apparaît dans le ciel, son éclat occulte celui des petites étoiles. On n'aperçoit alors qu'une faible quantité d'étoiles, les plus grosses ou les plus brillantes.

3

Lorsque je regarde par la fenêtre, la nuit, le ciel m'apparaît comme une coupole noire qui part de la corniche du toit et se termine derrière le mur du jardin. Les étoiles sont éparpillées un peu partout sur cette coupole et semblent tenir en place comme par miracle, sans qu'un fil ou quelque autre accessoire ne les soutienne.

C'est loin, le ciel ?

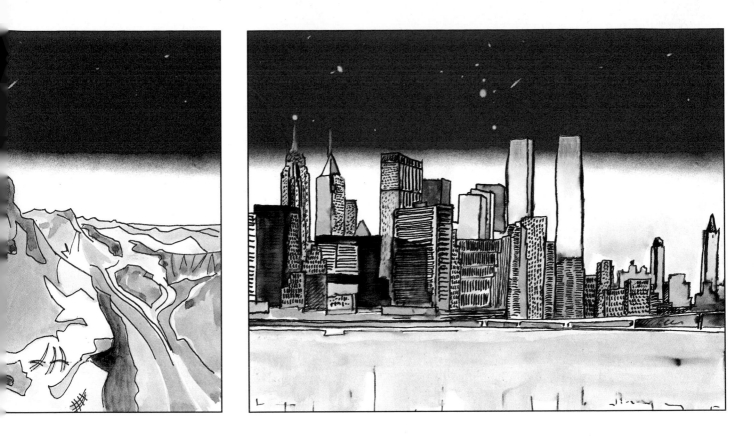

On dirait des éclaboussures d'argent.
Cette coupole doit être très grande,
au point de recouvrir le monde entier.
En effet, quand je passe derrière le mur
du jardin, je ne distingue pas encore
où elle finit.
En été, j'aime m'étendre sur la plage
quand vient la nuit, le ciel paraît alors
plonger dans la mer, très loin,
à l'horizon. Mais il ressemble
identiquement à celui que je vois depuis
ma chambre, à la maison.
A la montagne, le ciel est clair
et transparent comme du cristal,
mais c'est encore le même, celui que
j'aperçois au-dessus de la ville
où j'habite.

On m'a dit que si j'allais en Amérique,
à New York par exemple, je verrais
le même ciel qu'ici. Et pourtant, la mer
est vaste, si vaste qu'on a inventé
les bateaux pour la traverser.
Quant aux montagnes, elles sont
si hautes qu'on a construit
des avions pour les franchir.
Et New York est si loin qu'on peut
à peine se l'imaginer en rêve.
C'est donc que le ciel doit se trouver
encore plus haut et encore plus loin.
Au fait, c'est loin comme quoi, le ciel ?

Question à un astronome

Voulant savoir à quelle distance
se trouve le ciel, j'ai interrogé
mon père, mais il l'ignorait.
Mon professeur, lui non plus,
n'a pu me répondre.
Dans ces conditions, le plus simple
m'a paru d'aller voir un vrai astronome
et de lui poser la question.
Voilà son bureau. Il y a beaucoup
de choses sur sa table de travail
et au mur :

1. *une photographie du ciel*
2. *un bloc-notes couvert d'inscriptions*
3. *un livre scientifique*
4. *une calculatrice de poche*
5. *une loupe*
6. *un compas*
7. *deux pipes*
8. *des pages de magazine*
9. *des livres et des revues*
10. *une photographie d'un skieur dans la montagne*
11. *une photographie représentant un groupe de congressistes*
12. *un tableau couvert de lignes et de symboles*
13. *la photo d'un voilier*
14. *une serviette*
15. *des photographies représentant un grand télescope et un observatoire*
16. *une photographie de Saturne*
17. *un grand classeur métallique sur lequel sont fixés des photographies et des documents à l'aide de petits aimants.*

Sans doute ne se sert-il pas
de tous ces objets pour son travail.
Je suppose que certains sont là
simplement parce qu'il a envie
de les avoir près de lui.

Cet astronome, semble-t-il,
n'est pas différent des autres hommes.

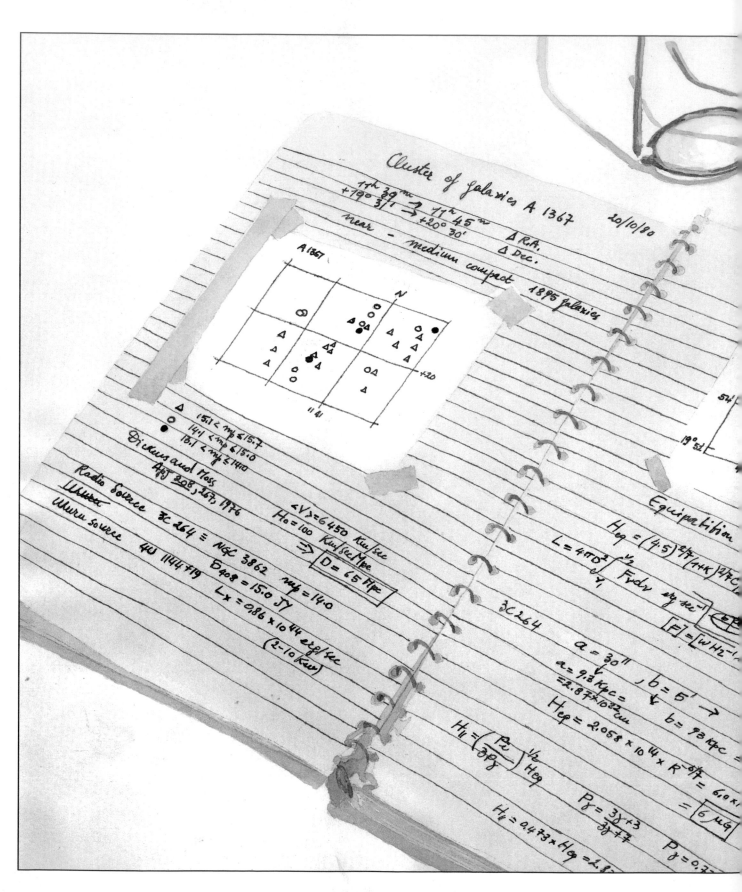

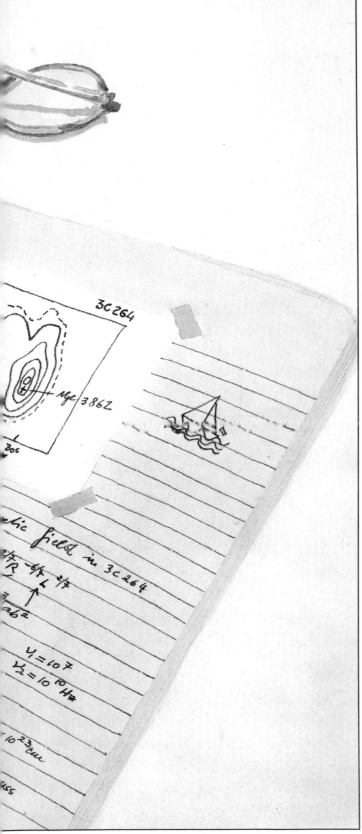

Et voyez ce que j'ai découvert :
son bloc-notes ! Seulement voilà !
Je ne comprends rien à ce qui est
écrit dessus.
Que signifient ces formules,
ces chiffres, ces lettres étranges ?
La seule chose qui ait un sens
pour moi, c'est le petit voilier, en haut
à droite : j'en dessine aussi,
et assez bien.
Je me demande s'il pourra me dire
à quelle distance se trouve le ciel.
Pourvu que je parvienne à bien
comprendre tout ce qu'il va me dire !
Mais le voilà qui arrive !

"Je suis content que vous soyez venu
me trouver. C'est une bonne idée.
Vous aimeriez savoir à quelle distance
de la terre se trouve le ciel :
eh bien, je vais essayer de répondre
à votre question, mais pas ici,
à mon bureau. Et il va vous falloir
un peu de patience et me suivre dans
un grand voyage à travers le monde
des astronomes. Venez avec moi ce soir
à l'observatoire, à une cinquantaine
de kilomètres d'ici. Pourquoi si loin ?
Parce que les grands télescopes sont
installés bien à l'écart des lumières
de la ville. Nous irons en voiture."

Une nuit au télescope

*Le gigantesque télescope
d'un observatoire installé au Chili.*

Par un escalier en colimaçon,
nous sommes arrivés sous la coupole
de l'observatoire. Quelqu'un était déjà
au travail. «Mon» astronome me parle
à voix basse pour ne pas déranger
l'autre savant.

"Pour moi, les plus belles nuits sont
les nuits d'hiver. Elles sont plus longues
et souvent plus claires qu'en été.
Grâce à cela, on peut alors observer
un plus grand nombre d'étoiles.
En revanche, ce sont les nuits
les plus froides. Quand la coupole
est ouverte, l'obscurité de la nuit
et la lumière des étoiles pénètrent dans
cette vaste salle, accompagnées parfois
d'un vent glacial qui gèle les os
et tourbillonne autour des feuilles."

Il porte une veste épaisse
et des chaussettes bien chaudes.
Mais il ne peut enfiler des gants:
ceux-ci le gêneraient pour consulter
ses livres, prendre des notes
sur ce qu'il voit et manipuler
les boutons de réglage du télescope.
Quand la nuit est bien noire, le silence
devient impressionnant et fait un peu
peur. On parle très peu pour ne pas
rompre le silence plein de mystère.
Lorsque le jour se lève, l'astronome
referme la coupole de l'observatoire.
Il aimerait observer une autre étoile,
mais, en fin de compte, il n'est pas
mécontent de pouvoir se reposer.

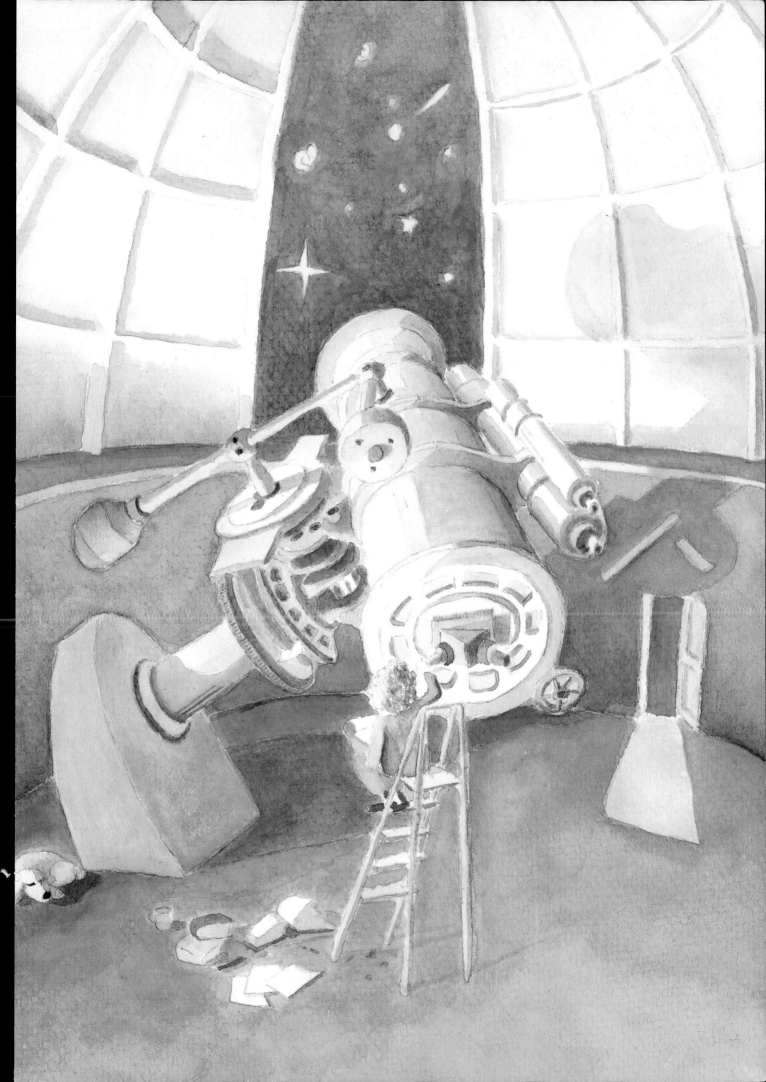

Comment voir les choses plus grandes qu'elles ne sont

"Le télescope est une sorte
de longue-vue si grande et si puissante
qu'elle ne permet de voir qu'une partie
du ciel à la fois.

Grâce à lui, on pourrait voir un bateau,
plus grand qu'à l'œil nu. Et si le bateau
se rapprochait, on n'en verrait peut-être
plus qu'une partie. Mais on pourrait
vérifier s'il y a des gens accoudés
au bastingage ou si le drapeau flotte
correctement à la poupe.

On pourrait aussi regarder des choses
très différentes : un petit oiseau,
s'il n'est pas trop loin ; ou un imposant
gratte-ciel, qui pourrait se trouver déjà
à une certaine distance ; ou d'énormes
corps célestes, comme la Lune
ou des galaxies entières —
celles-ci peuvent être très éloignées.
Quand on observe les étoiles à l'aide
d'un télescope, on ne sait jamais
ni quelle est leur taille
ni à quelle distance elles se trouvent."

Observé au télescope, un objet très proche
paraît aussi grand
qu'un objet beaucoup plus volumineux
mais plus éloigné.

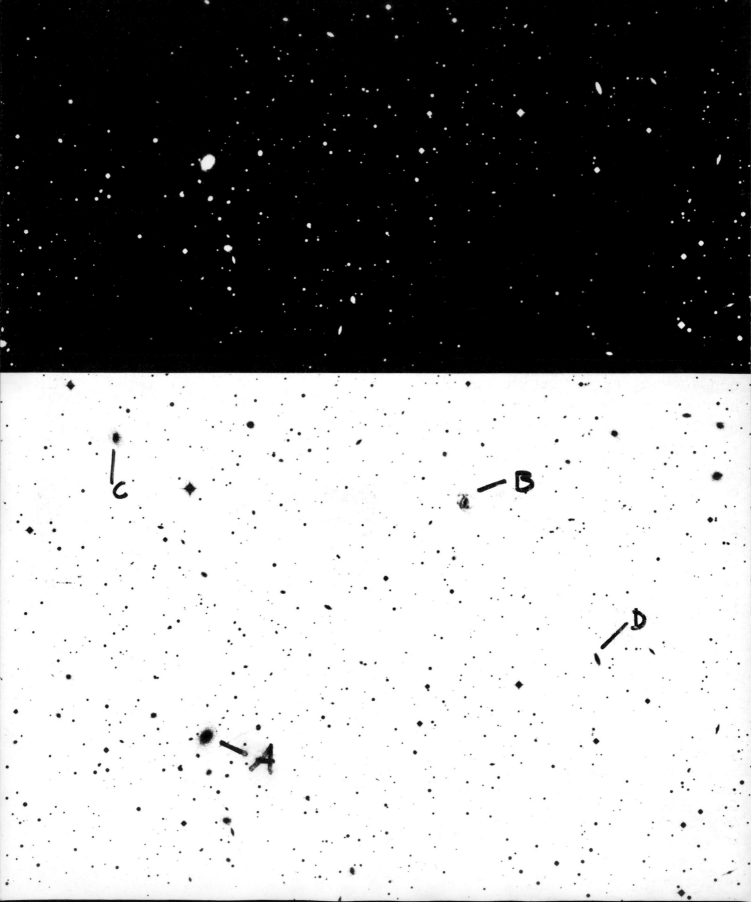

Un ciel blanc piqué d'étoiles sombres?

L'astronome me montre
une photographie représentant
une partie du ciel. Il a repéré certaines
étoiles et inscrit des lettres à côté
de celles-ci. Le plus étrange,
sur cette photographie, c'est que
le ciel est blanc et que les étoiles
forment des points et des taches
sombres !

"Avec le télescope, m'explique-t-il,
nous prenons d'abord des photographies
normales, c'est-à-dire qu'on y voit
un ciel sombre et des étoiles blanches.
Mais pour mieux distinguer et étudier
les étoiles nous tirons les photographies
en négatif."

Cela me paraît clair. Pourtant, un ciel
blanc, malgré son caractère étrange,
me semble perdre un peu de sa poésie
et de son mystère. Et comment chasser
les lucioles sous un tel ciel ?

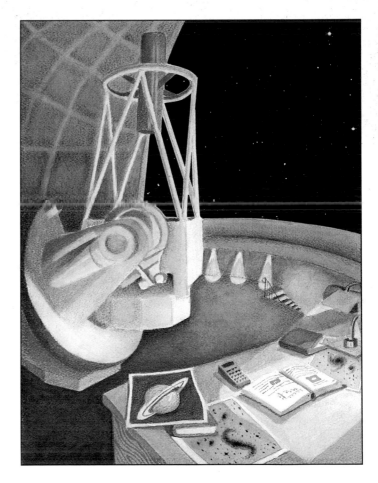

Les photographies sur la page précédente
représentent la même partie du ciel :
en haut, la photographie normale
sur laquelle le ciel est noir et parsemé d'étoiles blanches ;
en bas, la même photographie mais inversée, en négatif.
Sur le fond clair,
les points sombres se reconnaissent plus facilement
et l'on peut plus aisément les marquer d'un repère.

Observer les étoiles — même en plein jour?

Il est tout à fait possible d'étudier le ciel durant la journée, que le soleil brille ou non. On ne **voit** cependant les étoiles que lorsqu'il fait noir. Il existe, toutefois, de grands télescopes spéciaux, qu'on appelle radiotélescopes, qui permettent d'observer les étoiles même en plein

Les différentes antennes de cet impressionnant radiotélescope sont pointées sur la même portion de ciel pour obtenir la «carte» qui figure sur la page suivante.

jour. Le radiotélescope ne fournit pas de photographies du ciel, normales ou inversées avec le ciel blanc et les étoiles noires. Il donne d'étranges dessins composés de lignes, d'ondulations et de «pics» pointus.

L'astronome me l'a clairement expliqué:
''Nous pouvons voir les étoiles et les galaxies parce qu'elles émettent de la lumière. Mais elles n'émettent pas seulement de la lumière visible, elles émettent aussi des ondes

16

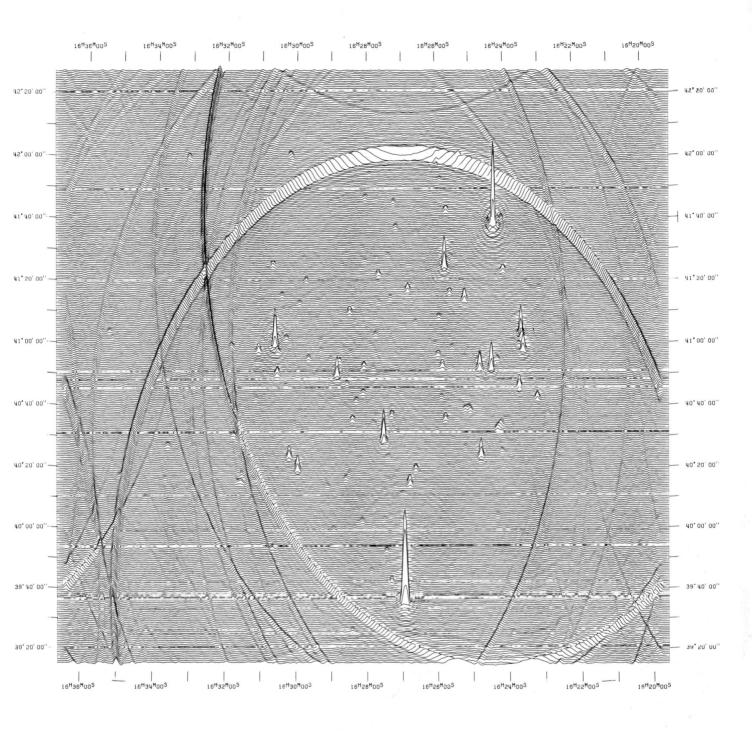

radio-électriques invisibles.
Le radiotélescope capte les ondes,
comme l'antenne sur le toit
de la maison capte celles qu'envoie
une station émettrice de radio
ou de télévision. Un ordinateur,
incorporé au radiotélescope, décode
ces ondes et un appareil à dessiner
en trace le graphique,
ce qui donne un dessin comme
celui-ci (ci-dessus).

Maintenant que je vous ai présenté
les instruments de travail

des astronomes, nous pouvons regagner
mon bureau. Mais avant de vous
expliquer à quelle distance se trouve
le ciel, je vais vous faire
quelques dessins. ''

Dessiné par l'ordinateur
d'un radiotélescope,
le ciel se présente ainsi :
on reconnaît assez facilement
plusieurs corps célestes ;
on distingue leurs différentes
intensités lumineuses
à la hauteur des « pics ».

Comment dessiner la Terre

"Sur une feuille de papier,
on peut dessiner ce qu'on veut,
même des choses immenses.
Le monde entier trouve place
sur une page d'atlas.
Voyons plus précisément comment
réaliser une carte de ce genre.

Avant de construire une maison,
l'architecte commence par en dessiner
le plan. Sur celui-ci, la maison est
nettement plus petite qu'en réalité,
bien sûr, et beaucoup de détails sont
simplifiés, voire laissés de côté.

Si maintenant, l'envie vous prend
de tracer le plan de la ville où est bâtie
la maison, il faut commencer par
le commencement et tout redessiner

*Photographie d'une partie de la terre,
prise par le vaisseau spatial « Gemini II ».
On reconnaît l'Inde et l'île de Ceylan (Sri Lanka).*

en plus petit. Faute de quoi, le plan
de la ville serait plus grand
que le rez-de-chaussée de la maison.
Sur le plan, les maisons ne sont plus
que de petits carrés à peine visibles.

Quand on dessine la carte du pays
où se trouve cette ville,
les agglomérations et les villages

se réduisent à de minuscules points,
à de toutes petites taches, et les grands
fleuves très larges n'apparaissent plus
que sous la forme de lignes très fines.

Enfin, supposons que vous ayez besoin
de la carte du continent dont font partie
ce pays, les milliers de villes
et les millions de maisons :

il faut, une nouvelle fois,
tout redessiner en beaucoup
plus petit encore.

Si vous réduisez chaque chose dans
la même proportion, le dessin, le plan
ou la carte sont à une certaine échelle.
Plus vous les réduisez, plus l'échelle
devient petite."

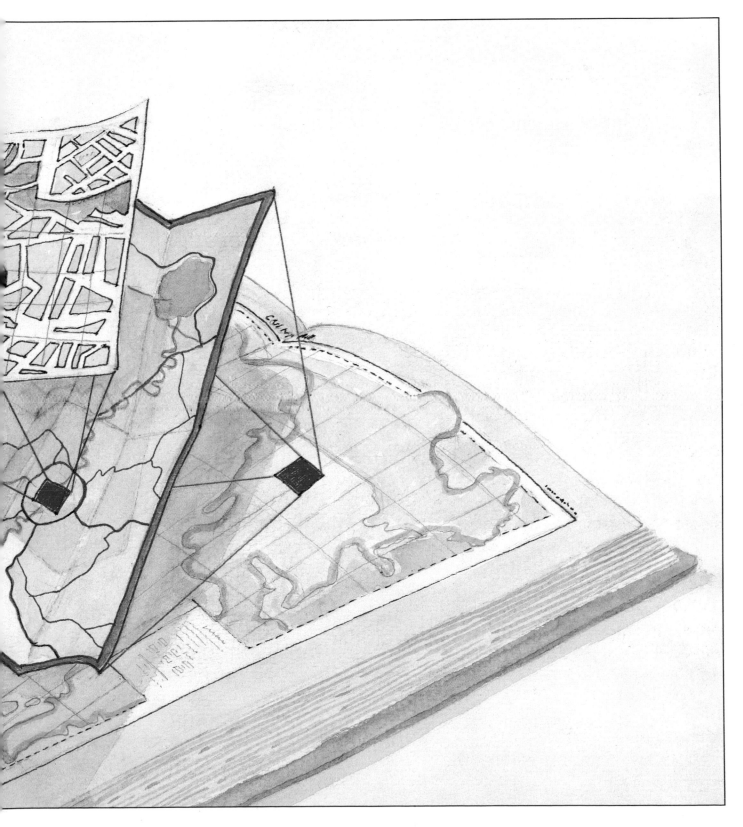

Comment dessiner le ciel

"Vous voyez donc à quel point il faut réduire les choses pour dessiner la terre tout entière. Imaginez maintenant combien plus petite encore doit être l'échelle quand il s'agit de dessiner le ciel. Essayons.

Pour commencer, je dessine notre système solaire : le Soleil, la Terre et les autres planètes. Je leur donne des dimensions telles que l'ensemble se loge sur un grand timbre-poste. A cette échelle, les étoiles les plus proches seraient situées à quelque 10 mètres du Soleil : c'est donc irréalisable ainsi.

Aussi bien vais-je représenter les étoiles à une échelle plus réduite sur une autre feuille de papier. Mais si je voulais dessiner notre galaxie tout entière, la Voie lactée, avec toutes ses étoiles, je devrais prendre une autre feuille, plus grande, et tout recommencer. Sur ce nouveau dessin, le système solaire ressemblerait à un point minuscule, à peine discernable.

Toutefois, notre galaxie n'est pas la seule, il en existe quantité d'autres. Si j'ajoutais à mon dessin les galaxies les plus proches, rien qu'elles, il me faudrait une feuille de papier cent fois plus grande que celle-ci. Comme je ne dispose pas de feuilles aussi gigantesques, je suis contraint de réduire encore l'échelle.

Vous le voyez, il est impossible de loger le ciel entier dans un dessin comme celui-ci. Les planètes, les étoiles et les galaxies sont trop largement dispersées dans le ciel. Les astronautes sont, certes, parvenus jusqu'à la Lune, mais la vie d'un homme serait trop courte pour qu'il puisse atteindre la plupart des autres astres.

A présent, nous allons voyager, vous et moi, à travers le ciel. Nous visiterons d'abord les corps célestes les plus proches, puis nous irons de plus en plus loin dans l'univers, jusqu'aux galaxies les plus lointaines."

Les étoiles filantes

"Avez-vous jamais vu des étoiles filantes traverser le ciel d'une nuit d'été? En fait, il ne s'agit pas d'étoiles errant dans l'univers, mais de météorites: des fragments de corps célestes qui se déplacent à une vitesse inimaginable. Lorsqu'ils plongent dans l'atmosphère terrestre, leur vitesse est brutalement «cassée» par l'air dont celle-ci se compose. A cause de leur vitesse énorme, l'air devient extraordinairement chaud autour d'eux et les fragments «brûlent». En se consumant dans l'atmosphère, ils laissent derrière eux une trace, une traînée visible, qu'on appelle la «queue». Toutes les planètes sont continuellement bombardées de météorites. Quand celles-ci touchent le sol, elles creusent des cratères, parfois assez profonds. Quand, à l'aide d'un télescope, vous regardez un astre, la Lune par exemple, vous distinguez très bien ces cratères. Comme la Lune ne possède pas d'atmosphère, tous les météorites qui croisent sa route s'écrasent sur sa surface de toutes leurs forces. La Terre n'est, quant à elle, touchée que par les très gros météorites: les autres brûlent dans l'atmosphère et se désintègrent avant d'atteindre la surface de notre planète. Il est heureux que la Terre soit entourée d'une atmosphère! Le ciel où passent les étoiles filantes est assez proche: juste quelques kilomètres au-dessus de nos têtes."

La Lune

La Lune est parfois visible même en plein jour.

La Terre se lève au-dessus de la Lune.
Photographie prise
par le vaisseau spatial «Apollo 11».

La Lune se lève au-dessus de la Terre.

"J'imagine que vous avez déjà été vous promener à l'extérieur quand brillait la Lune. La lumière de la Lune est plus ou moins fauve. En réalité, ce n'est pas la Lune elle-même qui émet cette lumière : c'est le Soleil ! Celui-ci éclaire la Lune, sans quoi on ne pourrait la voir.
De la même manière que la Terre tourne autour du Soleil, la Lune tourne autour de la Terre à une distance moyenne de 387.500 kilomètres.

Comparée à l'immensité de l'univers, ce n'est pas une bien grande distance : cela représente un peu moins de 10 fois la circonférence de la Terre.

De nombreux satellites artificiels ont été envoyés en direction de la Lune ; des astronautes ont atterri sur la Lune. Ce fut, pour eux, un voyage impressionnant. Et tandis qu'ils se trouvaient sur la Lune, ils pouvaient contempler la Terre, de la même façon que nous regardons la Lune."

Les planètes

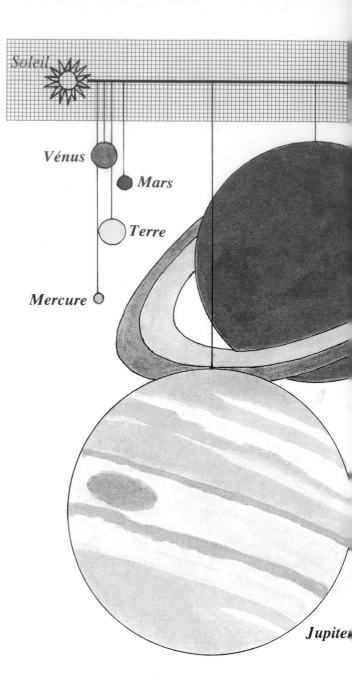

Soleil

Vénus

Mars

Terre

Mercure

Jupiter

"Le Soleil est la seule étoile
que l'on connaisse qui soit entourée
de neuf planètes. Le dessin, à droite,
les représente comme
si elles étaient suspendues à des fils.
Elles tournent toutes autour du Soleil,
chacune sur une orbite particulière,
et sont éclairées par celui-ci.
Les «fils» ne servent qu'à donner
une idée de leur distance par rapport
au Soleil.

La Terre se trouve à quelque
150 millions de kilomètres du Soleil.
Seules deux planètes en sont
plus proches : Mercure et Vénus.
Pluton, en revanche, est quarante fois
plus éloignée du Soleil que la Terre.

Sur la Terre, la lumière du Soleil est
parfois assez intense. Vous le constatez
en été, quand vous passez la journée
sur la plage. Il vous faut faire preuve
de prudence pour éviter que votre peau
ne soit brûlée. Si vous viviez
sur Mercure, vous seriez rouge comme
un homard cuit, au bout
de deux heures seulement, car Mercure
est beaucoup plus proche du Soleil
que la Terre. C'est d'ailleurs pourquoi
il fait nettement plus chaud
sur Mercure que chez nous.

Sur Pluton, quatre années
se passeraient avant que votre peau
ne soit brûlée. Curieuse façon de
mesurer les distances, n'est-ce pas ?

Sur le dessin, la taille des planètes n'est
pas représentée à la même échelle que
leur distance par rapport au Soleil.

Sans cela, le dessin aurait été trop
grand et n'aurait pu se loger sur
une double page. Ou alors il aurait
fallu figurer les planètes par
des points minuscules.

Telles qu'elles sont ici, vous pouvez
les comparer entre elles :
vous constatez ainsi que Jupiter est
la planète la plus grande ; pour ce
qui est de la taille, Saturne, Uranus
et Neptune viennent juste après.
Toutes les autres planètes, même
la Terre, sont nettement plus petites."

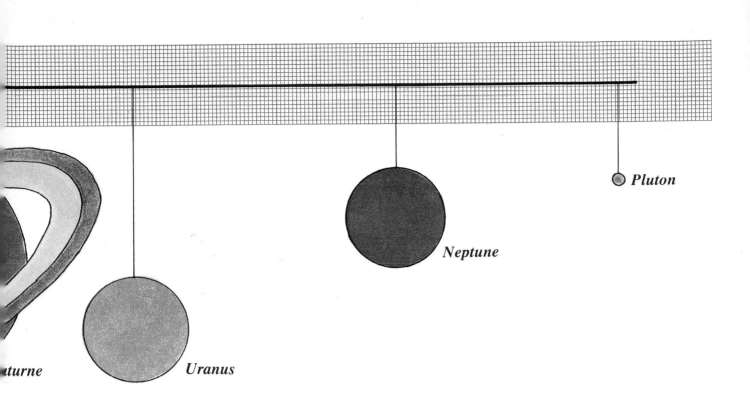

turne

Uranus

Neptune

Pluton

Vous pouvez, évidemment, mesurer
la distance des planètes par rapport au Soleil
et l'exprimer en kilomètres ou en années-lumière.
Mais cela conduirait
à des nombres si grands
que vous n'auriez plus la moindre idée
des distances.
C'est pourquoi nous avons procédé
d'une autre manière, en indiquant le temps
qu'il faudrait pour que vous attrapiez
un coup de soleil sur chacune des planètes.

Mercure	2 heures
Vénus	6 heures
Terre	12 heures
Mars	2 jours
Jupiter	1 mois
Saturne	3 mois
Uranus	1 an
Neptune	2,5 ans
Pluton	4 ans

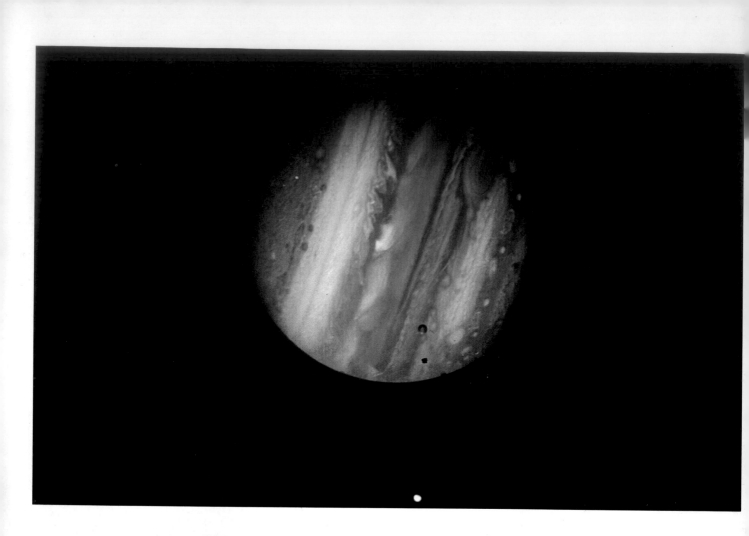

Jupiter

"Les photographies représentent Jupiter, la plus grande des planètes qui gravitent autour du soleil. Elles ont été prises par un satellite artificiel dans lequel était installé un appareil photographique. Le satellite mit dix-huit mois pour atteindre Jupiter. A titre de comparaison, il n'a fallu que trois jours aux astronautes pour arriver jusqu'à la Lune. Sur ces photographies de Jupiter, vous apercevez la Grande Tache Rouge. Les astronomes la connaissaient depuis longtemps, mais ce n'est qu'après que ces photographies eurent été prises qu'ils découvrirent qu'il s'agissait d'un gigantesque ouragan. Cependant, on ignore toujours la raison pour laquelle cet ouragan souffle depuis quelques centaines d'années et ce qui lui donne cette couleur rouge. "

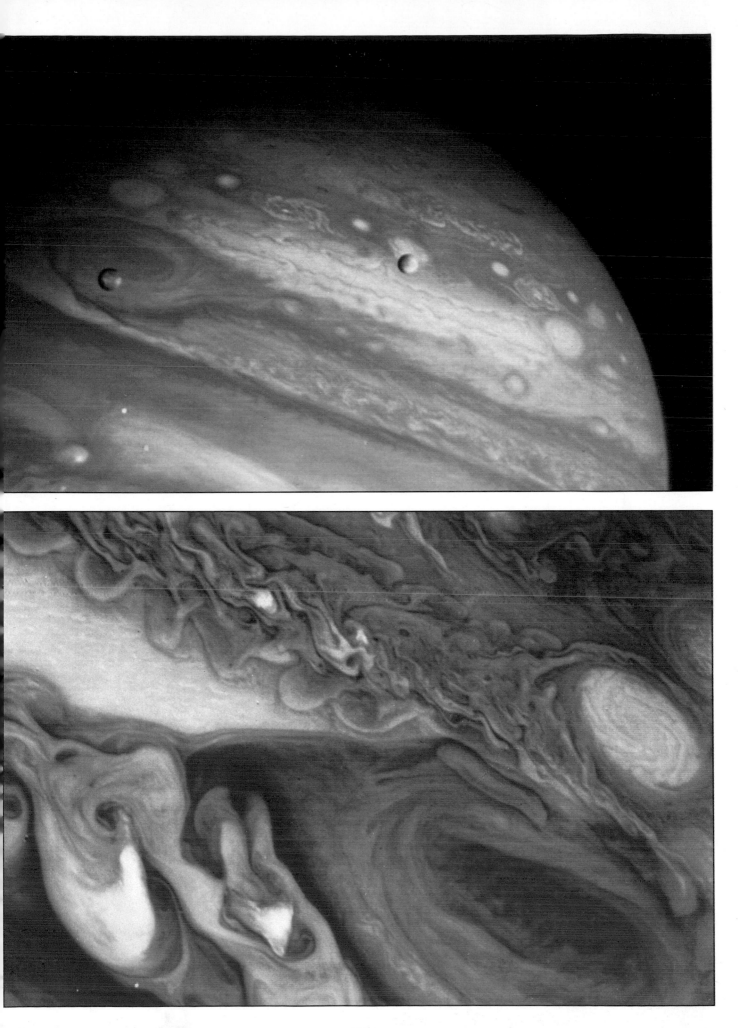

Comète de Humason. Photographie prise en 1961 par un grand observatoire aux États-Unis.

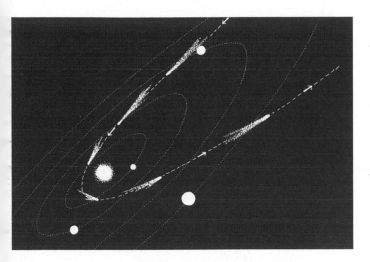

*Le dessin montre l'orientation
que prendrait la queue d'une comète
en l'absence de vent solaire.
En réalité, cela se présente
comme on le voit sur la photographie
de la page précédente (en bas).*

Les comètes

"Les comètes ne sont pas des étoiles.
Ce sont des blocs de glace, de gaz
et de poussière.
Elles suivent des orbites très éloignées
du Soleil, là où règne un froid glacial.
Parfois, une comète s'approche
du Soleil dont la chaleur la fait fondre.
Vous pouvez apercevoir le gaz
qui se vaporise pendant la fusion :
c'est la « queue ». Les astronomes ont
remarqué que la queue des comètes
est toujours orientée dans la direction
opposée au Soleil, comme
une oriflamme repoussée par le souffle
d'un ventilateur.

Lorsqu'une comète quitte le voisinage
du Soleil, la queue «fuit» devant elle.
Imaginez une locomotive à vapeur
qui serait précédée par son panache
de fumée ! En observant les comètes,
vous comprendrez tout de suite que
le Soleil agit comme un ventilateur :
le vent solaire souffle dans toutes
les directions, rayonnant à partir
du Soleil."

*Le vent solaire chasse toujours
la queue des comètes
dans la direction opposée au soleil.*

Le Soleil

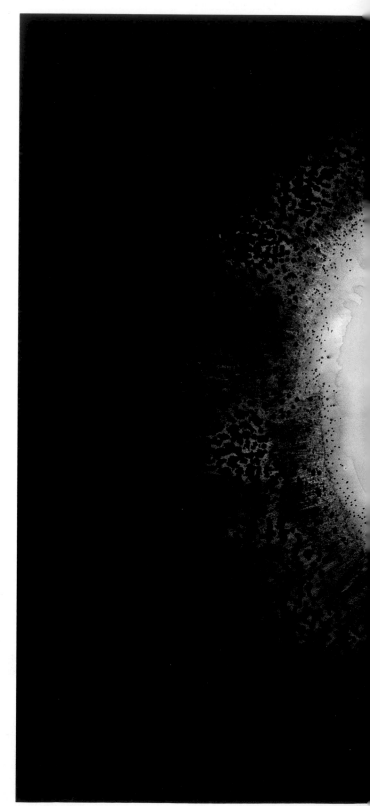

"Le Soleil est, en fait, une étoile comme beaucoup d'autres étoiles. Mais il est si proche de la Terre qu'il constitue la seule étoile que nous puissions voir en plein jour. Sans le Soleil, la Terre serait privée de lumière et de chaleur : sans le Soleil, il n'y aurait pas de vie sur la Terre.

Comme toutes les autres étoiles, le Soleil est une boule de gaz : c'est le gaz brûlant que nous voyons briller. Il existe, toutefois, sur la surface du Soleil, quelques zones qui ne brillent pas : on les appelle les taches solaires. Ce sont de petites taches noires, que l'on distingue même sans le secours d'un télescope. Cependant, vous ne devez pas, car c'est dangereux, observer le Soleil à l'œil nu : vous risquez de vous brûler la rétine ! Pour étudier le Soleil, il existe

une méthode fort simple : noircissez un morceau de verre à la flamme d'une bougie. Vous verrez très correctement à travers le verre noirci et vous ne vous abîmerez pas les yeux."

32

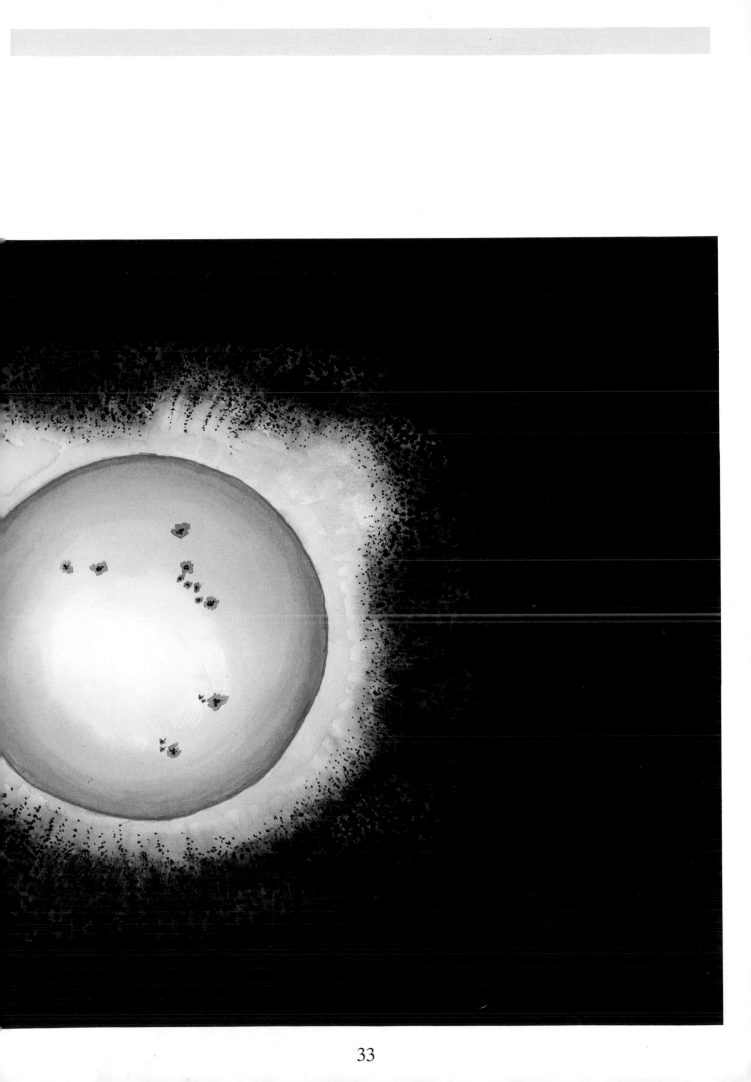

Les Pléiades

”Durant les nuits froides de l'hiver, on peut voir les Pléiades à l'œil nu. Cet amas d'étoiles ressemble à une grappe de raisins suspendue dans le ciel. Grâce au télescope, on distingue plus encore : les étoiles constituant les Pléiades sont entourées d'une vive lumière bleu pâle, ce qu'on appelle le halo. Cela leur confère un certain mystère. Le halo se forme lorsque la lumière d'une étoile est réfléchie par des nuages de gaz et de poussière.

Comparées au Soleil, les Pléiades sont très éloignées de la Terre. Les astronomes considèrent cependant qu'elles sont encore assez proches, mais les savants ont l'habitude de s'occuper de corps célestes beaucoup plus lointains.”

Vous identifierez facilement les Pléiades en partant de la constellation d'Orion, que l'on découvre sans difficulté. Depuis Orion, remontez vers l'étoile polaire, puis légèrement sur la droite, vous trouverez la constellation du Taureau : les Pléiades forment la partie supérieure droite de la constellation du Taureau.

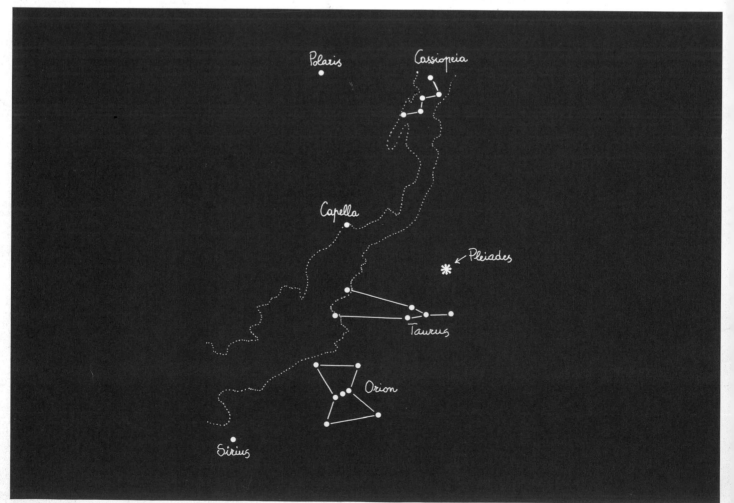

La Voie lactée

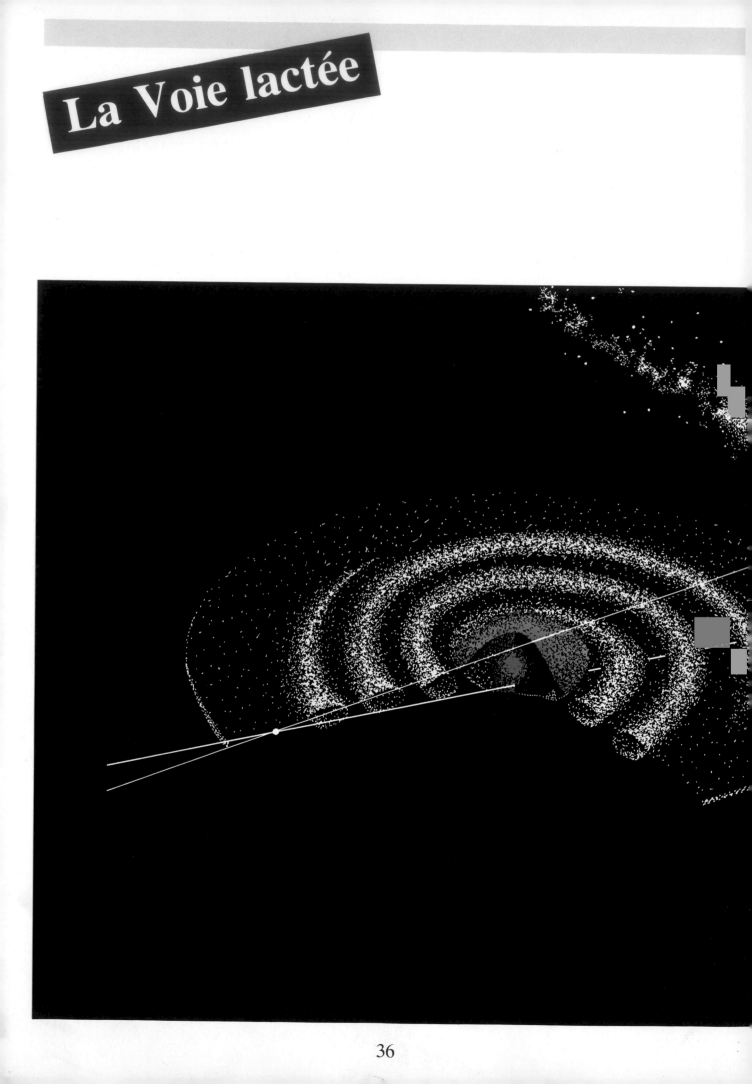

"Pour observer la Voie lactée,
il faut attendre une nuit d'été,
que le ciel soit parfaitement dégagé,
et sortir de la ville — suffisamment
loin pour n'être pas gêné par
les lumières du trafic et des maisons.

Seules brillent alors les étoiles:
vous aurez ainsi, sans rien qui puisse
la troubler, une vision de notre galaxie,
la Voie lactée.

La Voie lactée est une bande faiblement
lumineuse qui s'étire sur le ciel entier.
En y regardant de plus près,
vous découvrirez qu'elle se compose
d'innombrables étoiles.
Le Soleil lui-même est l'une des étoiles
de notre galaxie.

Les astronomes sont parvenus
à déterminer que la Voie lactée
est ronde et plate comme une assiette.
Bon nombre de galaxies présentent
cet aspect. Mais pourquoi la Voie
lactée nous apparaît-elle sous la forme
d'une bande longue et mince?
Simplement parce que nous vivons
à l'intérieur de la Galaxie et que nous
nous la représentons comme une sorte
de ceinture longue et étroite.
En fait, si l'on pouvait se placer
au-dessus de la Galaxie, celle-ci
prendrait l'aspect d'une spirale dont
l'épaisseur est inférieure
de 1000 fois à la largeur — comme
une plaque de bois d'un mètre
de diamètre mais d'une épaisseur
d'un millimètre seulement."

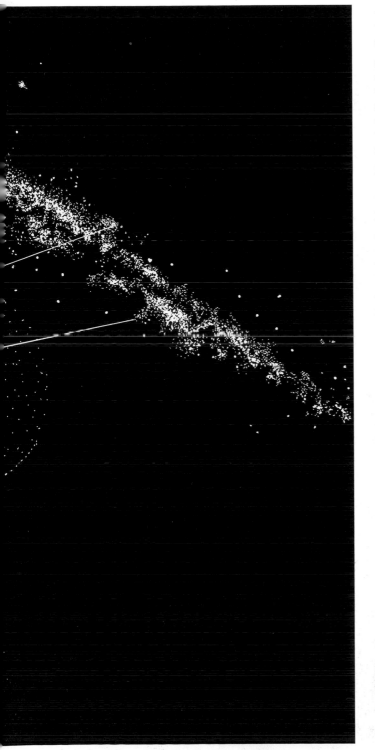

La galaxie d'Andromède

"Si l'on pouvait observer la Voie lactée de l'extérieur, elle nous apparaîtrait comme sur cette photographie (à droite). Celle-ci, toutefois, ne représente pas la Voie lactée mais la galaxie d'Andromède, l'une des galaxies les plus proches de nous dans l'univers. L'une des plus proches, certes, mais est-elle réellement si proche ? Il faut au moins deux millions d'années pour qu'un rayon de lumière émis par la galaxie d'Andromède arrive jusqu'à la Terre.

La galaxie d'Andromède est difficilement visible à l'œil nu. Elle ressemble à une étoile assez imprécise parce qu'elle se trouve excessivement loin. Il faut disposer d'un télescope vraiment puissant pour la voir telle qu'elle figure sur la photographie."

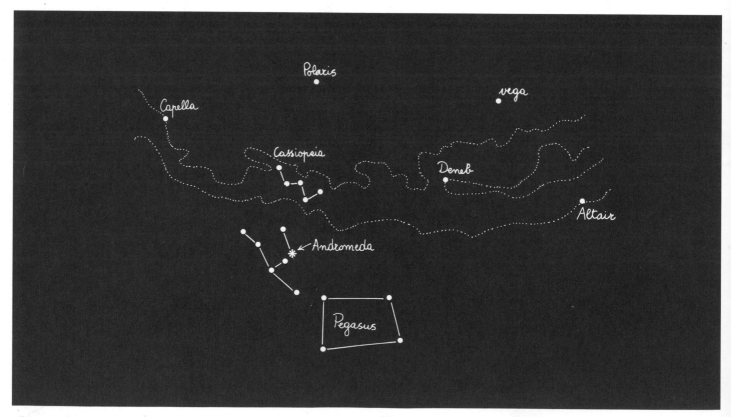

Vous découvrirez la galaxie d'Andromède, en été, au-delà de la constellation du Cassiopée. Celle-ci se compose de cinq étoiles formant un « W » en majuscule légèrement aplati, situé au milieu de la Voie lactée.

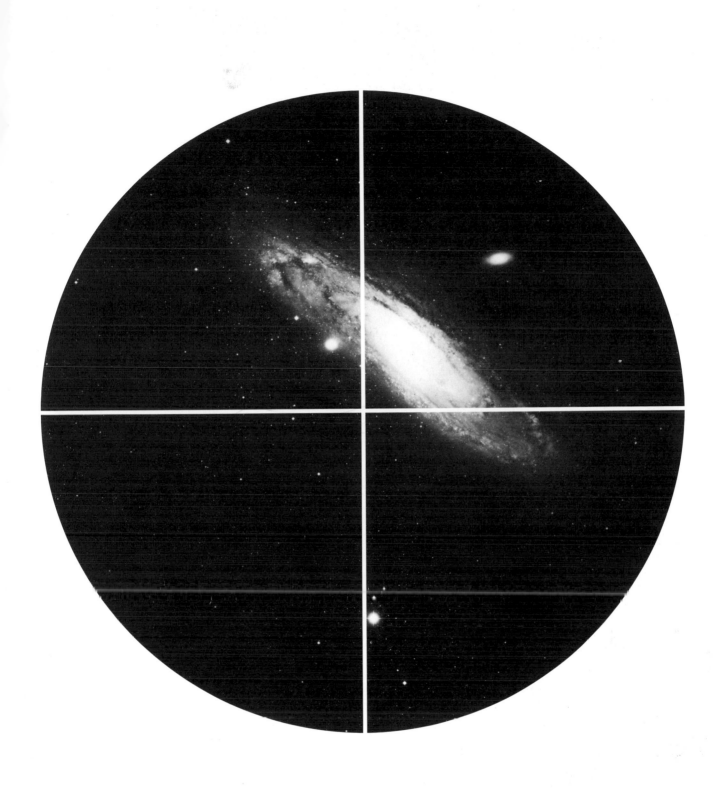

*Les galaxies se présentent
sous les formes les plus diverses :
spirales et spirales barrées
(en haut à gauche et en bas au centre),
galaxies elliptiques
(en haut à droite et en bas à gauche)
et galaxies irrégulières (en bas à droite).*

"Il existe des millions d'autres galaxies, proches de la nôtre et d'Andromède ou très lointaines. Elles se présentent sous des formes différentes : nombre d'entre elles ressemblent à des spirales ; d'autres, qu'on appelle galaxies elliptiques, ont l'aspect de boules de lumière de forme irrégulière.

Pour moi, elles sont toutes également belles, quels que soient leurs noms et leurs désignations.

Chaque galaxie contient des milliards d'étoiles pareilles au Soleil.
Cependant, la plupart des galaxies sont si éloignées qu'il s'avère impossible d'identifier individuellement leurs étoiles, même avec un très gros télescope.

Le ciel est, en effet, bien loin."

La galaxie Arlequin

*Les six photographies à droite
représentent toutes la même galaxie
mais sous des couleurs différentes.
Le ciel lui-même change chaque fois de teinte.*

*En réalité,
ce ne sont pas ses vraies couleurs,
mais celles qu' «inventa» un ordinateur
facétieux désireux de la revêtir
du manteau d'Arlequin.*

Sources des illustrations

Pages 10, 43 : P. Gavazzi, Mailand/
European Southern Observatory
(ESO), Garching près de Munich ;
Pages 18, 24 en bas : NASA Photo/
Hansen Planetarium, Salt Lake City (USA) ;
Page 24 en haut : dpa Farbarchiv,
Francfort-sur-le-Main ;
Page 25 : Weltbild, Munich ;
Pages 28/29 : Astronomical Society
of the Pacific, San Francisco (USA) ;
Page 30 en haut, 35 : Hale Observatories
© California Institute of
Technology, Pasadena (USA) ;
Pages 40/41 : ESO, Garching.
Les autres photographies
et dessins des pages
intérieures de cet ouvrage
sont la propriété de l'auteur.
Les cartes du ciel des
pages de garde ont été
établies par Romain Finke
sur les indications de Peppo Gavazzi.

Imprimé en Italie.
Dépôt légal : Octobre 1984. D. 1984/0053/127
Déposé au Ministère de la Justice, Paris
(loi n° 49.956 du 16 juillet 1949 sur les publications
destinées à la jeunesse).